De omhelzing

David Grossman

De omhelzing

illustraties Michal Rovner

vertaling Edward van de Vendel

Cossee
Amsterdam

'JE BENT LIEF,' ZEI DE MOEDER VAN BEN.

ZE LIEPEN IN HET VELD EN HET WAS LAAT IN DE MIDDAG.

'JE BENT ZO ONTZETTEND LIEF, ZOALS JIJ IS ER NIEMAND
OP DE HELE WIJDE WERELD.'

'IS ER ECHT NIEMAND ZOALS IK?' VROEG BEN.

'NEE,' ZEI ZIJN MOEDER. 'JIJ BENT DE ENIGE!'

ZE LIEPEN LANGZAAM VERDER. EEN GROTE TROEP
OOIEVAARS VLOOG HOOG IN DE LUCHT BOVEN HUN
HOOFD, OP WEG NAAR ANDERE LANDEN.

'MAAR WAAROM?' VROEG BEN. HIJ BLEEF STAAN.

'WAAROM IS ER NIEMAND OP DE HELE WERELD ZOALS IK?'

'OMDAT IEDEREEN UNIEK IS EN SPECIAAL,'LACHTE ZIJN MOEDER.
ZE GING OP DE GROND ZITTEN.

'KOM EVEN NAAST ME,' ZEI ZE, EN
ZE FLOOT NAAR DE HOND, MIRAKEL, ZODAT HIJ ER OOK BIJ KWAM.

'IK WIL NIET DE ENIGE ZOALS IK OP DE HELE WERELD ZIJN,'
ZEI BEN.

'WAAROM NIET? HET IS PRACHTIG OM ZO UNIEK EN
SPECIAAL TE ZIJN!' ZEI ZIJN MOEDER.

'MAAR DAN BEN IK HELEMAAL ALLEEN!' ZEI BEN.

'IK WIL DAT ER NOG IEMAND IS ZOALS IK!'

'JE BENT NIET ALLEEN,' ZEI ZIJN MOEDER.

'IK BEN OOK UNIEK EN SPECIAAL, EN PAPA IS DAT OOK.

KOM BIJ ME ZITTEN,' ZEI ZE, 'BILLEN OP DE GROND.'

BEN GING NIET ZITTEN. PLOTSELING WERDEN ZIJN OGEN GROOT.

'BEDOEL JE DAT ER OP DE HELE WERELD OOK NIEMAND IS ZOALS JIJ?'

'NEE, KLOPT,' ZEI ZIJN MOEDER.

'DUS JIJ BENT OOK ALLEEN?'

'HELEMAAL NIET. IK HEB JOU, EN PAPA... '

'MAAR JE HEBT NIEMAND DIE PRECIES PRECIES IS ZOALS JIJ?'

'NEE DAT NIET,' ZEI ZIJN MOEDER.

'DAN BEN JE DUS ALLEEN,' ZEI BEN, EN HIJ GING BIJ ZIJN MOEDER ZITTEN.

'VOEL JE JE DAN NIET ALLEEN ALS JE ALLEEN BENT?'

ZIJN MOEDER GLIMLACHTE. ZE TEKENDE RONDJES MET HAAR
VINGER OP DE GROND.

'IK BEN EEN BEETJE ALLEEN, EN EEN BEETJE MET ALLE
ANDERE MENSEN SAMEN, EN HET VOELT GOED OM EEN
BEETJE DIT EN OOK EEN BEETJE DAT TE ZIJN.'

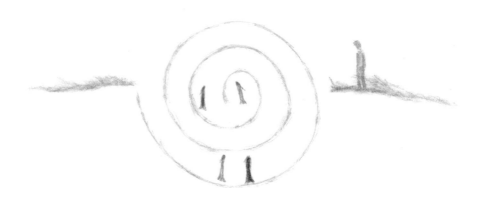

DE ZON KWAM AL NAAR BENEDEN, EN DE HEMEL KLEURDE BIJNA ROOD.

'IK VOEL ME ALLEEN,' ZEI BEN ZACHTJES.

'MAAR LIEFJE,' ZEI ZIJN MOEDER, 'IK BEN BIJ JE!'

'MAAR JE BENT MIJ NIET.'

IN DE LUCHT, DE GEUR VAN AARDE EN GRAS, VLIEGJES ZOEMDEN EN
MUGJES VLOGEN DANSEND ROND.

BEN AAIDE DE HOND DIE NAAST HEM LAG.

'MIRAKEL OOK?'

'MIRAKEL OOK WÁT?'

'IS ER OOK MAAR ÉÉN IEMAND ZOALS ZIJ OP DE HELE WERELD?'

'JA,' ZEI ZIJN MOEDER, EN ZE AAIDE OOK OVER DE ZACHTE VACHT
VAN DE HOND.

'ER IS MAAR ÉÉN MIRAKEL ZOALS ZIJ OP DE HELE WIJDE WERELD.'

OP DE GROND, VLAK BIJ HUN VOETEN, LIEPEN MIEREN. EEN LANGE
OPTOCHT VAN MIEREN. ER WAREN ER MISSCHIEN WEL DUIZEND. ZE ZAGE
ER ALLEMAAL HETZELFDE UIT, ALS DUIZEND TWEELINGMIEREN. MAAR
TOEN BEN WAT LANGER KEEK, ZAG HIJ DAT DE ENE MIER SNEL LIEP E
DE ANDERE LANGZAAM. ER WAS ER EEN DIE MET VEEL MOEITE EEN BL
PROBEERDE MEE TE TREKKEN, EN EEN ANDERE SLEEPTE MET EEN
ZAADJE.

EN ER WAS ER EEN, EEN HEEL KLEINTJE, DAT HEEN EN WEER RENDE
NAAST DE OPTOCHT. BEN DACHT DAT ZIJ MISSCHIEN HAAR OUDERS
WAS KWIJTGERAAKT EN NU NAAR HEN LIEP TE ZOEKEN.

HIJ VROEG: 'DIT MIERTJE, DEZE ENE, WEET ZIJ DAT ER OP DE HELE
WERELD MAAR ÉÉN MIER IS ZOALS ZIJ?'

EN ZiJN MOEDER ZEi: 'DAT KAN iK NiET WETEN.'

BEN DACHT EVEN NA EN ZEi TOEN:
'OMDAT JE HAAR NiET BENT?'

'OMDAT IK HAAR NIET BEN,' ZEI ZIJN MOEDER.
HET PIEPKLEINE MIERTJE STAPTE UITEINDELIJK TERUG IN
DE OPTOCHT. BEN DACHT DAT DE TWEE MIEREN DIE NAAST
HAAR LIEPEN MISSCHIEN HAAR OUDERS WAREN.

EN HIJ VROEG:'DUS VAN IEDEREEN OP DE WERELD IS ER MAAR ÉÉN?'

'VAN iEDEREEN iS ER MAAR ÉÉN,' ZEi ZiJN MOEDER.

'DUS iEDEREEN iS ALLEEN?'

'IEDEREEN IS EEN BEETJE ALLEEN, MAAR OOK SAMEN.
ZE ZIJN ALLEEN EN NIET ALLEEN.'

'HOE KAN HET DAT ALLEBEI ZIJN?'

'JIJ BENT DE ENIGE ZOALS JIJ,' ZEI ZIJN MOEDER, 'EN IK BEN DE ENIGE ZOALS IK, MAAR ALS IK JOU NU EEN KNUFFEL GEEF, DAN BEN JE NIET ALLEEN EN IK BEN OOK NIET ALLEEN.'

'KNUFFEL ME DAN MAAR,' ZEI BEN, EN HIJ OMHELSDE ZIJN MOEDER.

ZIJN MOEDER KNUFFELDE HEM.

ZE VOELDE ZIJN HART KLOPPEN. BEN VOELDE ZIJN MOEDERS HART OOK.

ZE KNUFFELDE HEM ZO HARD ALS ZE KON.

NU BEN IK NIET ALLEEN, DACHT HIJ MIDDEN IN DE OMHELZING,

NU BEN IK NIET ALLEEN. NU BEN IK NIET ALLEEN.

'ZIE JE WEL?' FLUISTERDE ZIJN MOEDER.

'EN PRECIES HIERVOOR IS HET OMHELZEN DUS UITGEVONDEN.'

Oorspronkelijke titel *Hibuk*
© 2010 David Grossman
© 2010 Michal Rovner
en Am Oved, Tel Aviv
Nederlandse vertaling © 2011 Edward van de Vendel
en Uitgeverij Cossee bv, Amsterdam
Omslagillustratie © Michal Rovner
Boekomslag Marry van Baar
Typografie binnenwerk Dirk Rehm / Reprodukt
Gedrukt in Slowakije

ISBN 978 90 5936 331 1 | NUR 370, 302

Meer informatie over David Grossman
en de boeken van uitgeverij Cossee
vindt u op onze website www.cossee.com

Wilt u op de hoogte blijven van alle uitgaven
en activiteiten van Uitgeverij Cossee, meld u dan aan
voor de nieuwsbrief op www.cossee.com